好画、好故事。意味深长，富有诗性，留下很多巧妙的机关。可以口口相传、

代代相传，可以超越民族、超越文化、超越语言、超越时代……

当我们每个人都有了自己心中的绘本时，中国就有了绘本。

——曹文轩《无边的绘本》

图书在版编目（CIP）数据

风吹到乌镇时累了 / 曹文轩著；(塞)佐洛蒂奇绘. -- 北京：
天天出版社，2015.10
（中国种子世界花）
ISBN 978-7-5016-1021-1

Ⅰ. ①风… Ⅱ. ①曹… ②佐… Ⅲ. ①儿童文学—图画故事—中国—当代
Ⅳ. ①I287.8

中国版本图书馆CIP数据核字(2015)第202544号

责任编辑: 董　蕾　　　　　**美术编辑:** 罗曦婷　王　悦
责任印制: 李书森　康远超

地址: 北京市东中街 42 号　　　　　　**邮编:** 100027
市场部: 010-64169902　　　　　**传真:** 010-64169902
http://www.tiantianpublishing.com
E-mail: tiantiancbs@163.com

印刷: 北京利丰雅高长城印刷有限公司　　**经销:** 新华书店
开本: 889×1194　1/16　　　　　　**印张:** 2.25
2015 年 10 月北京第 1 版　　　　　2015 年 10 月第 1 次印刷
字数: 5 千字　　　　　　　　　　**印数:** 1-10,000 册

ISBN 978-7-5016-1021-1　　　　　**定价:** 32.80 元

北京绿色印刷工程——优秀青少年读物绿色印刷示范项目

中国种子世界花
Chinese Story Seeds &
World's Illustration
Flowers

风吹到乌镇时累了

曹文轩／文

［塞尔维亚］亚历山大·佐洛蒂奇／图

人民文学出版社 天天出版社

风从北方向南方吹去，越吹越大。

一路上，风很高兴，很兴奋，也很淘气。水边的芦苇被吹弯了腰。小鸟被吹得在天空下摇摇摆摆，差点儿掉落下来。一个女子的纱巾被吹到半空中，直飘到云朵旁。水面上的鸭群被吹得四分五散，惊得嘎嘎乱叫……看到这些景象，风对自己的力量感到很惊讶。

风快活极了，像一个小疯子，由着性子向前一个劲地吹着。它吹到哪儿，哪儿就会改变样子。它吹过后，大地上到处留下它的痕迹：篱笆倒伏在地上，枝头上刚建造起来的鸟窝散了架，一排自行车一辆压着一辆倒在地上，广告牌斜歪着，一条小裤衩挂在一棵大树的枝杈上，一树的塑料袋……

吹呀，吹呀，风呼呼地喘息着。

田野上，一个小男孩在放风筝。是一只很大的风筝，但无论他怎么放，它也飞不起来，一次一次地栽到地上。

风来了，风筝终于飘上了天空。

小男孩很高兴，嗷嗷叫着。

风忽地大了起来，风筝使劲向高空飘去，小男孩赶紧放线——不一会儿，线就放完了，可那风筝还一个劲地向高空飘去，并且力大无比。

小男孩的身子向后倾着，但双脚却被风筝拽着，不住地向前滑行。他想将风筝收回来，却根本收不回来，他只能跟着它不停地向前跑，要不，就松手，让它飞去。他当然不肯松手。

前面是一条河。

小男孩在被拽进河里的那一刻，用尽浑身力气，终于来到桥上。

风筝的力量越来越大，线绷得能发出声音来。

小男孩灵机一动，咬着牙，把线的这一头拴在了桥的栏杆上。他喘着粗气，仰望着风筝：你有本事，就把桥拽到天空去！

小男孩正得意，线砰地断了，风筝迅速飘向远方，最后跌落到很远很远的树林里。

风丢下小男孩，继续向前吹去。

五六个女孩，一人举着一把好看的阳伞，从一条小街经过。五颜六色。她们不时地变换位置。每一把伞的下面，都有一张好看的脸。所有行人的目光都被年轻女孩和她们手中的伞吸引了。

　　女孩们感觉到有人在看她们，不时地侧过脸来，看那些看她们的行人。

　　风从街的那头吹来了，吹来了……

　　风忽地变大，像爆炸似的，还没等那些女孩反应过来，转眼间所有的伞都被吹得翻了过来，刚刚还是圆圆的伞，现在变成了一个长条。

女孩们一脸沮丧。

行人们看着她们和她们手中再也无法还原的伞，忍不住都笑了起来。

伞一把一把地被扔在了女孩们的脚下。

风在这座小城的上空旋转了一阵，向南吹去。

有一只小船行驶在河面上。船上坐着一个小姑娘，划船的是她的妈妈。小姑娘戴了一顶十分好看的帽子。

大人和小孩站在岸上看着。

"玲玲，你去哪儿？"一个婶婶问。

"去外婆家。"

"你的帽子真好看。"婶婶说。

玲玲指了指妈妈："妈妈给我做的，做了好多天了，我要戴，妈妈不让。妈妈说，留到去外婆家戴。"

岸上，大人和小孩都看玲玲的帽子，甚至情不自禁地跟着小船往前走。

风正巧路过这里。它先是轻轻地在小船左右旋转，忽地变大，将玲玲头上的帽子呜地一下吹到了空中。

美丽的帽子在空中飘着。无数双眼睛仰望着天空。

帽子落下来了，落下来了，落到了对岸。

妈妈赶紧将小船划了过去。船刚刚靠岸，玲玲就跳下船，跑向她的帽子。

风没有远去，就在玲玲马上要抓到帽子时，它呼啦吹过来，又把帽子吹上了天空。

不远处，几个泥猴一般的男孩正在放光了水的池塘里抓鱼，帽子飘飘忽忽地落在了他们面前的烂泥上。

玲玲跑过来了，一个小男孩用泥手捡起帽子递给她。

玲玲用手指拎着脏兮兮的帽子，跺着脚，脸朝天空："坏风！"

风上上下下地翻滚着，像一个乐翻了天的孩子。过了一会儿，风就无影无踪了，留下玲玲，哭丧着脸，看着她那顶已经无法再戴到头上的帽子。

　　城外，有数十株樱花。正是开花的季节，一树树的樱花，静静地开放着。来了无数赏花人。还有很多人，正从城中往这里走。

　　樱花树下，铺了布，人们在上面摆满了各种各样的食物，一边吃一边看花。

　　风在不远处已经转悠一阵了。它没有立即吹过来，而是在一旁的土丘上一边张望一边积蓄着力量。

　　大约在上午十点钟，它从土丘上席卷而来，转眼间，将枝头开放的樱花几乎全部吹落。

满天空的花瓣，像雪花一般，像大片大片的云一般，飘向远方。

人们仰望天空——情景倒也壮丽，但花瓣远去之后，再抬头看樱花树时，看见的只是光秃秃的枝条。

"这风真坏！"

"好讨厌呀，这风！"

风继续赶它的路去了。

天气越来越热。

这天下午，风吹到了一片荒野。

荒野上，两个男孩不久前生了一堆火，现在还在燃烧，但看势头，马上就会熄灭。

风一来，火又渐渐旺了起来。金色的火苗在跳舞，样子十分诱人。风禁不住吹大了，火苗开始跳跃，并且不住地蹿高、向前奔跑。火像一群张牙舞爪的魔鬼，呼啸着。

风越吹越大，大火一会儿工夫就烧出了荒野，跳过一条田埂，跳进了一片麦地。麦子已经成熟，麦穗粗大，麦芒闪闪发亮，一番丰收的景象。

转眼间，麦子烧着了，麦粒在天空下发出噼噼啪啪的爆裂声。

这时村庄的人终于发现了大火，随即，很多人开始大声喊叫："救火呀！救火呀！……"随即，很多人拿着盆桶之类的东西，嗵哧嗵哧地跑了过来。那是一个庞大的人群，一支长长的队伍，喊声震天。

风一下子愣住了。

火势依然凶猛。它不再需要借助风了。

很快，人们排成两条长队，用盆呀桶呀，将不远处小河里的水传递到火场。

火终于被扑灭。但一户人家的麦子都已经化为灰烬。

这户人家的大人和小孩站在那里，沉默着。

大概是奶奶，一头白发，她跪在地上，一手抓着一把黑灰，仰望苍天："这往后的日子可怎么过呀！……"
声音已经嘶哑。

大概是小孙女，只五六岁的样子，牵着妈妈的手，两眼泪汪汪。

大概是他们家的狗，蹲在小女孩身边，喉咙里呜咽着，仿佛也在哭。

风在空中旋转着，大地上的情景，让它感到十分难过。它不想再看到因为自己而造成的悲惨情景。它向高处吹去。但大地上的哭泣声一直追随着它。它很想哭，很想流泪，但风自己无法哭，无法流泪。

一大片乌云飘了过来。

风连忙吹向乌云。乌云开始翻滚，不一会儿，下起大雨。人们只知道这是雨，没有一个人知道，这是风的泪水。

风带着泪水的潮湿，继续吹向南方。一连几天，它都只是在空中吹，而不再吹向大地，它生怕对大地再造成伤害。

这一天，风吹到了一条大河的上空。

河上，几十条小船在追赶一条很大的强盗船。

强盗船上有一面大帆，再加上左右各有十几个强盗划桨，把后面追赶的小船甩得越来越远。

这几天，风一直萎靡不振，见到河上这番情景，立刻兴奋起来。它向下旋转着，形成了一个空气的旋涡，那旋涡越旋越快，仿佛可以将世界上的一切都吸进去……

强盗船的桅杆被连根拔了起来，随即，那面大帆被卷到半空中。

强盗船猛烈地颤抖与摇摆，十几个强盗被摇到水中。

那些追赶过来的小船，不一会儿工夫，就将强盗船和落在水中的强盗包围了起来……

有人仰起头来看还在空中飘动的大帆，大声感叹："这风啊！——"

风看着那些强盗一个个被捆绑起来，欢快地吼叫着向南方吹去。

风来到了一片干旱地区。

小野父子守着风车已经一个多星期了，依然没有等到一缕风。风车一动不动地立在干燥的空气里。

地开始裂缝，禾苗耷拉着脑袋，有一些已经枯死。

父子俩赤着胸膛，坐在干涸的地上，以祈求的目光看着天空：来风吧！来风吧！

风在傍晚时来了。

仿佛已经死去的风车，慢慢地转动起来了。

前前后后，还有许多风车，也都转动起来。它们越转越快，越转越有力量。

"来风啦！"

"来风啦！"

有大人的欢呼，也有孩子的欢呼。

风车越转越快，月光下，就见亮闪闪的河水流过水塘，流进地里。

有人甚至哭了起来。小野也哭了。小野是跪在地上哭的——面向风吹来的方向。

风觉得自己的力量越来越小了。吹过树林时，树林再也不会发出呜呜声，枝条只是被吹得稍微弯了弯。

吹过水面时，水面再也看不到波浪了，只是把水面吹出一道一道的皱褶。风知道，它正在走向生命的尽头。

　　风来到了大海。骄阳似火。深蓝色的海水没有一缕波纹，像被冻结住了。

　　一个环球航行的小伙子，再有一天就要到达终点——如果一切正常的话。可就在这时，他的小艇的发动机因耗尽最后一滴油而停止了运转。他扯开了风帆，但没有一缕风，小艇一动不动地停在海面上。粮食和水全部用完了。

　　中午时分，巨大的太阳悬挂在天空，喷发着火焰一般的光芒。

　　他在海面上停留了两天两夜。

　　他已经陷入绝望。

　　当他感觉到皮肤上有风像柔纱一般抚摸而过时，几乎昏迷的他苏醒过来，嘴中喃喃自语："是风吗？是风吗？"

　　是风。

　　风在不住地收缩自己，以便使自己有力量鼓动那只小艇的风帆。

小艇像在冰上一般，向还未见到的海岸滑行着……

这天黄昏，小伙子终于见到了海岸线。他站在帆下，伸开双臂，望着天空。他想大声呼喊："我回来啦！是风帮助了我！"但他的嗓子因为很久没有水的滋润，早已失声。

风再次憋足了力气，把小艇推向了岸边。

风踉踉跄跄地吹到岸上之后，几乎没有力气再前行了。它想就地停止。但它毕竟是风——是风就要前行，慢慢地吹吧。

　　风吹到一个叫乌镇的地方，它累了，很累了。没有力气了，现在，它是什么事情也做不成了。它只能想一想它一路吹过来的情景：呼啸而过！呼啸而过！它曾经威风过呀！

一切马上就要结束。它还剩一小缕力气。

台阶上，坐着一个小男孩，并拢的双膝上放着一本书。也许是玩累了，也许是困了，小男孩的样子好像连打开书的力气都没有了，目光呆滞。

风用最后那一缕力气，打开了那本书。

小男孩一惊，两眼随之发亮。

被打开的那本书的名字叫：《风吹到乌镇时累了》。